Manchmal klaut Moses, der in Paris lebt, Konserven im Laden von Monsieur Ibrahim und glaubt, daß dieser noch
nichts gemerkt hat. Doch der hat den jüdischen Jungen
schon längst durchschaut. Denn Monsieur Ibrahim, der für
alle nur »der Araber an der Ecke« ist, sieht mehr als andere.
Er ist ein verschmitzter Weiser, der viele Geheimnisse kennt,
auch die des Glücks und des Lächelns. Moses ist erst elf und
lebt mit seinem Vater, einem schweigsamen und melancho-
lischen Mann, in einer düsteren Wohnung. Er führt ihm den
Haushalt, und ab und an legt er vom Haushaltsgeld etwas
auf die Seite für einen Besuch bei den Mädchen in der Rue
de Paradis. Laufen die Dinge mal nicht nach seiner Vorstel-
lung, holt er sich Rat bei Monsieur Ibrahim, der in jeder
Lebenslage etwas Passendes in seinem Koran zu finden
weiß. Moses spürt, auf Monsieur Ibrahim, der Tag um Tag
unverrückbar in seinem Laden sitzt, ist Verlaß. Als die
Geschichte mit seinem schwermütigen Vater die schlimmst-
mögliche Wendung nimmt, findet er in ihm einen zuverläs-
sigen Freund. Die beiden begeben sich auf eine abenteuer-
liche Reise, und Moses erfährt, daß nicht alle Dinge so sind,
wie sie scheinen. Denn Monsieur Ibrahim ist kein Araber,
genausowenig, wie die Rue Bleue blau ist.

›Monsieur Ibrahim und die Blumen des Koran‹ wurde
im Jahr 2004 von François Dupeyron mit Omar Sharif als
Monsieur Ibrahim verfilmt.

Eric-Emmanuel Schmitt, 1960 in St.-Foy-les Lyons geboren,
ließ sich als Pianist in Lyon ausbilden und studierte Philosophie in Paris. Als Romancier, Dramatiker und Autor für
Film und Fernsehen lebt er heute in Paris und Irland. In
Frankreich gehört er zu den bedeutendsten Theaterautoren
seiner Generation und hat auch international Erfolg. Zuletzt
erschien in deutscher Übersetzung seine Erzählung: ›Oscar
und die Dame in Rosa‹. Auf der Leipziger Buchmesse 2004
wurde E. E. Schmitt mit dem Deutschen Bücherpreis ausge-
zeichnet.

Unsere Adresse im Internet: www.fischerverlage.de

Eric-Emmanuel Schmitt

Monsieur Ibrahim und die Blumen des Koran

Erzählung

Aus dem Französischen
von Annette und Paul Bäcker

Fischer Taschenbuch Verlag

2. Auflage: November 2004

Veröffentlicht im Fischer Taschenbuch Verlag,
einem Unternehmen der S. Fischer Verlag GmbH,
Frankfurt am Main, Oktober 2004

Lizenzausgabe mit freundlicher Genehmigung
des Ammann Verlags & Co., Zürich
Die Originalausgabe erschien
unter dem Titel
›Monsieur Ibrahim et les fleurs du Coran‹
in der Éditions Albin Michel, Paris
© Albin Michel, S. A., Paris 2001
Deutsche Ausgabe:
© Ammann Verlag & Co., Zürich 2002
Die deutschsprachigen Aufführungsrechte liegen beim
Theater-Verlag Desch GmbH, München
Druck und Bindung: Clausen & Bosse, Leck
Printed in Germany
ISBN 3-596-16117-7

Für Bruno Abraham-Kremer

Als ich elf war, habe ich mein Schwein geschlachtet und bin zu den Dirnen gegangen.

Mein Schwein war ein Sparschwein aus Porzellan, glasiert, bemalt mit Farben wie Kotze und mit einem Schlitz, in den ein Geldstück nur reinging, aber nicht wieder raus. Mein Vater hatte diese Einbahnsparbüchse ausgesucht, weil sie seiner Lebensanschauung entsprach: Geld ist zum Horten da, nicht zum Ausgeben.

Im Schweinebauch waren zweihundert Francs. Vier Monate Schufterei.

Eines morgens, bevor ich zur Schule ging, sagte mein Vater zu mir:

»Moses, das verstehe ich nicht ... Es fehlt Geld..., ab jetzt wirst du alles, was du beim Einkaufen ausgibst, in das Haushaltsbuch eintragen.«

Also nicht genug damit, in der Schule wie auch zu Hause angeschnauzt zu werden, zu waschen, zu büffeln, zu kochen, die Einkäufe zu schleppen, nicht genug damit, allein in einer großen Wohnung zu leben, dunkel, leer und ohne Liebe, mehr der Sklave als der Sohn eines Rechtsanwalts ohne Fälle und ohne Frau, wurde ich zudem auch noch verdächtigt, ein Dieb zu sein! Wenn man mich schon des Klauens bezichtigt, warum es dann nicht auch tun.

Zweihundert Francs waren also im Schweinebauch. Zweihundert Francs, das war der Preis für ein Mädchen in der Rue de Paradis. Das mußte zahlen, wer ein Mann werden wollte.

Die ersten haben mich nach meinem Ausweis gefragt. Trotz meiner Stimme, trotz meines Gewichts – ich war dick wie ein Sack Zucker – zweifelten sie daran, daß ich sechzehn war, wie ich behauptet hatte, wahrscheinlich hatten sie mich in all den letzten Jahren mit meinem Einkaufsnetz vorbeigehen und heranwachsen sehen.

Am Ende der Straße, in dem Toreingang, stand eine Neue. Sie war mollig und schön wie ein Bild. Ich zeigte ihr mein Geld. Sie lächelte.

»Und du bist sechzehn?«

»Ja, seit heute morgen.«

Wir sind raufgegangen. Ich konnte es kaum glauben, sie war zweiundzwanzig, sie war alt, und sie war ganz für mich da. Sie hat mir erklärt, wie man sich wäscht, und dann, wie man Liebe macht...

Natürlich wußte ich das schon, aber

ich hab sie reden lassen, damit sie sich besser fühlt, außerdem mochte ich ihre Stimme, sie klang ein bißchen trotzig, ein bißchen traurig. Die ganze Zeit über war ich halb ohnmächtig. Zum Schluß hat sie mir dann übers Haar gestreichelt und sanft gesagt:

»Du mußt wiederkommen und mir ein kleines Geschenk mitbringen.«

Das hätte mir meine Freude beinahe vermasselt: Ich hatte das kleine Geschenk vergessen. Da haben wir's, ich war ein Mann, getauft zwischen den Schenkeln einer Frau, ich konnte mich kaum auf den Beinen halten, so zitterten mir noch die Knie, und schon begann der Ärger: Ich hatte das berühmte kleine Geschenk vergessen.

Im Laufschritt bin ich in die Wohnung zurück, ich bin in mein Zimmer gestürzt, habe mich umgeschaut, was ich als Wertvollstes zu verschenken hätte, und bin schnurstracks wieder in die Rue de Para-dis gerannt. Das Mädchen stand schon wieder im Toreingang. Ich hab ihr mei-nen Teddy gegeben.

Ungefähr um diese Zeit lernte ich Mon-sieur Ibrahim kennen.

Monsieur Ibrahim war schon immer alt. Alle in der Rue Bleue und in der Rue du Faubourg-Poissonnière meinten, sich erinnern zu können, daß Monsieur Ibra-him schon immer diesen Kolonialwaren-laden hatte, von acht Uhr früh bis tief in die Nacht hockte er fest verankert zwi-schen seiner Kasse und den Putzmitteln, ein Bein im Gang, das andere unter einem Stapel von Streichholzschachteln, einen grauen Kittel über einem weißen Hemd, Zähne aus Elfenbein unter einem dürren Schnurrbart und Augen wie Pistazien,

grün und braun, heller als seine bräun-
liche Haut voller Weisheitsflecken.

Denn allgemein galt Monsieur Ibrahim
als weiser Mann. Wahrscheinlich, weil er
seit mindestens vierzig Jahren der Araber
in einer jüdischen Straße war. Wahrscheinlich, weil er viel lächelte und wenig
sprach. Wahrscheinlich, weil er sich der
normalen Hektik der Menschen scheinbar
entzog, besonders der Hektik der Pariser,
er rührte sich nie, saß auf seinem Hocker
wie ein aufgepfropfter Ast, füllte niemals,
vor wem auch immer, seine Regale auf,
und verschwand zwischen Mitternacht
und acht Uhr früh, keiner wußte wohin.

Jeden Tag machte ich also den Einkauf
und das Essen. Ich kaufte nur Konserven-
büchsen. Wenn ich die nun jeden Tag
kaufte, dann nicht, weil sie etwa frisch
waren, nein, sondern weil mir mein Vater
nur das Geld für einen Tag hinlegte, und

außerdem war das Kochen mit ihnen auch einfacher!

Als ich anfing, meinen Vater zu be‚klauen, um ihn dafür zu bestrafen, daß er mich verdächtigte, begann ich auch, Mon‚sieur Ibrahim zu beklauen. Ich schämte mich zwar ein wenig, aber um meine Scham zu bekämpfen, dachte ich beim Bezahlen ganz stark:

Was soll's, er ist ja nur ein Araber!

Jeden Tag schaute ich Monsieur Ibra‚him in die Augen, das machte mir Mut.

Was soll's, er ist ja nur ein Araber!

»Ich bin kein Araber, Momo, ich komme vom Goldenen Halbmond.«

Ich habe meine Einkäufe zusammenge‚rafft und bin, fix und fertig, raus auf die Straße. Monsieur Ibrahim kann mich denken hören! Also, wenn er mich den‚ken hören kann, dann weiß er vielleicht auch, daß ich ihn beklaue?

Am nächsten Tag stiebitzte ich ihm keine Büchse, fragte ihn aber:

»Was ist das, der Goldene Halbmond?«

Ich muß zugeben, daß ich mir die ganze Nacht lang vorgestellt hatte, wie Monsieur Ibrahim auf der Spitze eines goldenen Halbmonds sitzt und durch einen Himmel voller Sterne fliegt.

»So heißt eine Region, die von Anatolien bis Persien reicht, Momo.«

Am nächsten Tag, sagte ich, als ich mein Portemonnaie zückte, wie nebenbei:

»Ich heiße nicht Momo, sondern Moses.«

Am nächsten Tag war er es, der daraufhin erwiderte:

»Ich weiß, daß du Moses heißt, eben deswegen nenne ich dich Momo, das klingt nicht so bedeutend.«

Am nächsten Tag, als ich meine Centimes zählte, fragte ich:

»Was haben Sie dagegen? Moses ist jü-
disch, nicht arabisch.«

»Ich bin kein Araber, Momo, ich bin
Moslem.«

»Warum sagt man dann, daß Sie der
Araber in der Straße sind, wenn Sie gar
kein Araber sind?«

»Araber, Momo, das bedeutet in unserer Branche: Von acht bis vierundzwan-
zig Uhr geöffnet, auch am Sonntag.«

So verliefen unsere Gespräche. Ein
Satz pro Tag. Wir hatten Zeit. Er, weil er
alt, ich, weil ich jung war. Und jeden
zweiten Tag klaute ich ihm eine Büchse.

Ich glaube, wir hätten etwa ein bis zwei
Jahre gebraucht, um ein einstündiges Ge-
spräch zu führen, wären wir nicht Brigitte
Bardot begegnet.

Jede Menge Betrieb in der Rue Bleue.
Der Verkehr wird gestoppt. Die Straße
gesperrt. Man dreht einen Film.

Alles, was in der Rue Bleue, der Rue Papillon und in der Rue du Faubourg-Poisonnière ein Geschlecht hat, ist in heller Aufregung. Die Frauen wollen sich vergewissern, ob sie wirklich so schön ist, wie man sagt; die Männer können nicht mehr klar denken, da ihr Hirn in den Hosenstall gerutscht ist. Brigitte Bardot ist da! In voller Lebensgröße, Brigitte Bardot!

Ich hänge mich zum Fenster raus. Ich schau sie mir an und muß an die Katze von den Nachbarn aus dem vierten Stock denken, eine hübsche kleine Katze, die sich zu gern auf dem Balkon in der Sonne räkelt, aus Lust am Leben, am Atmen, und mit den Augen zu blinzeln scheint, um Bewunderung einzuheimsen. Bei näherer Betrachtung stelle ich fest, daß sie irgendwie den Dirnen in der Rue de Paradis ähnlich ist, ohne zu kapieren, daß es

in Wahrheit die Dirnen in der Rue de Pa‐
radis sind, die sich als Brigitte Bardot ver‐
kleiden, um Kunden anzulocken. Dann
entdecke ich zu meinem höchsten Erstau‐
nen, daß Monsieur Ibrahim in seiner La‐
dentür steht. Zum ersten Mal – jedenfalls
seitdem ich auf der Welt bin – hat er sei‐
nen Hocker verlassen.

Nachdem ich zugeschaut habe, wie
sich das kleine Tierchen Bardot vor den
Kameras rumgeräkelt hat, denke ich an
die schöne Blonde, die meinen Teddy
hat, ich beschließe, runter zu Monsieur
Ibrahim zu gehen und sein Abgelenkt‐
sein auszunutzen, um ein paar Büchsen zu
klauen. Katastrophe! Er ist wieder hinter
seine Kasse zurückgekehrt. Seine Augen
aber lachen und schauen über die Seifen
und Wäscheklammern hinweg auf die
Bardot. So habe ich ihn noch nie gese‐
hen.

»Sind Sie verheiratet, Monsieur Ibrahim?«

»Natürlich bin ich verheiratet.«

Er ist es nicht gewohnt, daß man ihm Fragen stellt.

In diesem Augenblick hätte ich nicht darauf geschworen, daß Monsieur Ibrahim wirklich so alt war, wie alle Welt glaubte.

»Monsieur Ibrahim! Stellen Sie sich vor, sie säßen mit Ihrer Frau und Brigitte Bardot in einem Boot. Das Boot kentert. Was tun Sie?«

»Ich wette, daß meine Frau schwimmen kann.«

Ich hatte Augen noch nie so lachen sehen, sie lachten aus vollem Hals, seine Augen versprühten ein Feuerwerk.

Plötzlich, Klarmachen zum Gefecht, Monsieur Ibrahim geht in Hab-acht-Stellung: Brigitte Bardot betritt seinen Laden.

»Guten Tag, Monsieur, haben Sie Wasser?«

»Aber sicher, Mademoiselle.«

Und das Unvorstellbare wird Ereignis: Monsieur Ibrahim geht höchstpersönlich eine Flasche Wasser aus einem Regal holen und bringt sie ihr.

»Danke, Monsieur. Was schulde ich Ihnen?«

»Vierzig Francs, Mademoiselle.«

Sie zuckt zusammen, die Brigitte. Ich auch. Eine Flasche Wasser kostete damals zwei Francs, keine vierzig.

»Ich habe gar nicht gewußt, daß Wasser hier so kostbar ist.«

»Nicht das Wasser ist so kostbar, Mademoiselle, sondern die großen Stars.«

Und das sagte er mit einem solchen Charme, mit einem solch unwiderstehlichen Lächeln, daß Brigitte Bardot leicht errötet, vierzig Francs hinlegt und geht.

Ich kann's kaum fassen.

»Na, Monsieur Ibrahim, Sie haben schon Chuzpe.«

»Tja, nun, mein Kleiner, irgendwie muß ich doch all die Büchsen wieder rein-kriegen, die du mir mopst.«

An diesem Tag wurden wir Freunde.

Klar, von da an hätte ich meine Büch-sen woanders mitgehen lassen können, aber Monsieur Ibrahim hat mich schwö-ren lassen:

»Momo, wenn du schon klauen willst, dann nur bei mir.«

Und in den folgenden Tagen verriet mir Monsieur Ibrahim Tausende von Tricks, meinem Vater, ohne daß er's merkt, das Geld aus der Tasche zu ziehen: Ihm wie-der aufgebackenes altes Brot von gestern oder vorgestern aufzutischen; den Kaffee nach und nach mit Muckefuck zu vermi-schen; Teebeutel zweimal zu benutzen; seinen Beaujolais mit Wein zu drei Francs zu verlängern, und als krönenden Einfall, den allerbesten, den, der zeigte, daß Monsieur Ibrahim ein Meister in der Kunst war, die Welt an der Nase herumzuführen: die Pastete durch Hundefutter zu ersetzen.

Dank des Eingreifens von Monsieur Ibrahim bekam die Welt der Erwachsenen Risse, sie war nicht mehr die gleiche glatte Mauer, gegen die ich stieß, durch einen Spalt hatte sich mir eine Hand entgegengestreckt.

Wieder hatte ich zweihundert Francs gespart, wieder konnte ich mir beweisen, daß ich ein Mann war.

Rue de Paradis, ich ging direkt zum Toreingang, in dem die neue Besitzerin meines Teddys stand. Ich brachte ihr eine Muschel mit, die man mir geschenkt hatte, eine echte Muschel aus dem Meer, aus dem echten Meer.

Das Mädchen revanchierte sich mit einem Lächeln.

In diesem Moment kam ein Mann wie eine aufgescheuchte Ratte aus dem Gang gestürzt, er rannte. Eine Dirne schrie ihm hinterher:

»Haltet den Dieb! Meine Tasche! Haltet den Dieb!«

Ohne auch nur eine Sekunde zu zögern, machte ich ein langes Bein. Der Dieb segelte ein paar Meter weiter zu Boden. Ich stürzte mich auf ihn.

Der Dieb schaute zu mir hoch, sah, daß ich nur ein Kind war, grinste mich an, drauf und dran, mir den Hintern zu versohlen, aber da kam das Mädchen laut schreiend auf die Straße gerannt. Er rappelte sich hoch und machte sich aus dem Staub. Zum Glück hatte das Geschrei der Dirne mir die Muskeln ersetzt.

Auf ihren hohen Absätzen schwankte

sie auf mich zu. Ich gab ihr ihre Tasche zurück, überglücklich drückte sie sie an ihren üppigen Busen, der so gut zu brüllen verstand.

»Vielen Dank, mein Kleiner. Kann ich etwas für dich tun? Willst du mit raufkommen?«

Sie war alt. Mindestens dreißig. Aber, wie Monsieur Ibrahim immer sagte, darf man einer Frau ja nichts abschlagen.

»Okay.«

Und wir sind zusammen hoch. Die Besitzerin von meinem Teddy schien empört, daß ihre Kollegin mich ihr weggeschnappt hatte. Als wir an ihr vorbeigingen, flüsterte sie mir ins Ohr:

»Komm morgen. Ich mach's dir auch umsonst.«

Natürlich hab ich nicht bis morgen gewartet...

Mein Leben mit meinem Vater wurde

durch Monsieur Ibrahim und die Dirnen noch schwieriger. Hatte ich doch mit etwas Schrecklichem und Schwindelerregendem begonnen: Vergleiche anzustellen. Mir war immer kalt, wenn ich mit meinem Vater zusammen war. Mit Monsieur Ibrahim und den Dirnen war es wärmer, heller.

Ich betrachtete den hohen und tiefen Bücherschrank, ein Erbstück, all diese Bücher, die angeblich die Quintessenz des menschlichen Geistes enthielten, Gesetzeskladden, den Scharfsinn der Philosophie, im Dunkeln schaute ich sie mir an — »Moses, mach die Fensterläden zu, das Licht schadet den Einbänden« —, dann schaute ich meinen Vater an, wie er in seinem Sessel las, abgekapselt durch den kreisrunden Schein einer Stehlampe, die wie ein gelbliches Bewußtsein über seinen Buchseiten stand. Er war in die Mauern seiner Gelehrtheit eingeschlossen, er schenkte mir nicht mehr Beachtung als einem Hund – er haßte Hunde –, er war nicht einmal versucht, mir einen Knochen seines Wissens zuzuwerfen. Machte ich auch nur das allerkleinste Geräusch...

»Oh, Entschuldigung.«

»Moses, schweig. Ich lese. Ich arbeite...«

Arbeiten, das war das allgewaltige Wort, das alles rechtfertigte...

»Entschuldigung, Papa.«

»Ach, zum Glück war dein Bruder Popol nicht so.«

Popol, das war ein anderer Name für meine Minderwertigkeit. Mein Vater schleuderte mir sofort die Erinnerung an meinen älteren Bruder Popol ins Gesicht, kaum hatte ich mal wieder was falsch gemacht. »Popol war in der Schule der Fleiß selbst. Popol liebte Mathe, Popol machte nie die Wanne dreckig, Popol pinkelte nie neben das Klo. Popol liebte es über alles, die Bücher zu lesen, die Papa auch liebte.«

Im Grunde war es gar nicht so übel, daß meine Mutter kurz nach meiner Geburt mit Popol auf und davon ist. War es doch schon schwer genug, gegen eine Erinnerung ankämpfen zu müssen, aber mit einer Makellosigkeit aus Fleisch und Blut wie Popol zusammenzuleben, das hätte meine Kräfte überfordert.

»Papa, was meinst du, hätte Popol mich gemocht?«

Mein Vater starrt mich an oder, besser gesagt, er versucht bestürzt, mich zu durchschauen.

»Was für eine Frage!«

Das war also die Antwort: Was für eine Frage!

Ich hatte gelernt, die Menschen mit den Augen meines Vaters zu sehen. Mit Miß⁄

trauen, mit Mißachtung... Mich aber mit einem arabischen Krämer zu unterhalten, auch wenn er kein Araber war – denn »Araber, das bedeutet in der Branche: Nachts und auch am Sonntag geöffnet« –, und den Dirnen zu helfen, das waren Sachen, die ich in einem Geheimfach meines Kopfes versteckte, das gehörte nicht zu meinem offiziellen Leben.

»Warum lächelst du nie, Momo?« fragte mich Monsieur Ibrahim.

Diese Frage traf mich wie ein Faustschlag ins Gesicht, ein Tiefschlag, auf den ich nicht vorbereitet war.

»Lächeln ist nur was für reiche Leute, Monsieur Ibrahim. Das kann ich mir nicht leisten.«

Sicher um mich zu ärgern, fing er an zu lächeln.

»Meinst du vielleicht, ich bin reich?«

»Sie haben doch immer Scheine in der

Kasse. Ich kenne keinen, der den ganzen Tag so viele Scheine sieht.«

»Aber die Scheine brauche ich, um die Ware zu bezahlen und die Miete. Am Monatsende, weißt du, bleiben nicht allzuviele davon übrig.«

Und er lächelte noch mehr, als wollte er mich ärgern.

»M'sieur Ibrahim, wenn ich sage, daß Lächeln nur was für reiche Leute ist, dann will ich damit sagen, daß es nur was für glückliche Leute ist.«

»Na, da irrst du dich aber. Es ist das Lächeln, das glücklich macht.«

»Quatsch.«

»Versuch's.«

»Quatsch«, sag ich.

»Bist du höflich, Momo?«

»Muß ich sein, sonst krieg ich was hinter die Löffel.«

»Höflich sein ist gut. Freundlich sein

ist besser. Versuch es mal mit einem Lächeln, und du wirst sehen.«

Nun gut, wie auch immer, wenn man so nett darum gebeten wird von Monsieur Ibrahim, der mir eine Büchse Sauerkraut allerfeinster Qualität rüberschiebt, warum es dann nicht versuchen...

Am nächsten Tag benehme ich mich wirklich wie ein Blöder, als ob mich in der Nacht was gestochen hätte: Alle und jeden lächle ich an.

»Nein, Madame, ich bitte um Entschuldigung, die Aufgabe in Mathe hab ich nicht verstanden.«

Zack: Lächeln!

»Ich hab sie nicht geschafft!«

»Gut, Moses, ich werde sie dir noch einmal erklären.«

Noch nie erlebt. Kein Anschnauzer, kein Tadel. Nichts.

In der Schulkantine...

»Könnte ich noch ein bißchen Maro-
nencreme haben?«

Zack: Lächeln!

»Ja, mit einem Klacks Quark...«
Und ich krieg's.

Beim Sport gebe ich zu, daß ich meine
Turnschuhe vergessen habe.

Zack: Lächeln!

»Sie müssen noch trocknen, M'sieur...«
Der Lehrer lacht und klopft mir auf
die Schulter.

Ich bin wie im Rausch. Keiner kann
mir widerstehen. Monsieur Ibrahim hat
mir die wirksamste aller Waffen gegeben.
Ich befeuere die ganze Welt mit meinem
Lächeln. Ich werde nicht mehr wie Un-
geziefer behandelt.

Nach der Schule renne ich in die Rue
de Paradis. Ich wende mich an die schönste aller Dirnen, eine große Schwarze, die
mich stets abgewiesen hat.

»He!«

Zack: Lächeln!

»Gehen wir rauf?«

»Bist du sechzehn?«

»Sicher bin ich sechzehn, schon im‐
mer.«

Zack: Lächeln!

Wir gehen rauf.

Und danach erzähle ich ihr beim An‐
ziehen, daß ich ein Journalist bin, daß ich
an einem Werk über die Prostituierten
schreibe...

Zack: Lächeln!

... daß ich es gerne hätte, wenn sie mir,
falls sie nichts dagegen hat, etwas aus ih‐
rem Leben erzählt.

»Ist das auch wahr, du bist Journalist?«

Zack: Lächeln.

»Ja, Journalismusstudent...«

Sie fängt an, mit mir zu reden. Ich be‐
trachte dabei ihre Brüste, wie die, sobald

sie etwas lebhafter wird, sanft auf- und abhüpfen. Ich kann es kaum glauben. Da redet eine Frau mit mir. Eine Frau. Lächeln. Sie redet. Lächeln. Sie redet.

Am Abend, als mein Vater nach Hause kommt, helfe ich ihm, wie jeden Abend, aus dem Mantel, umschwänzle ihn dann, im Licht, um sicher zu sein, daß er mich auch sieht.

»Das Essen ist fertig.«

Zack: Lächeln!

Er schaut mich erstaunt an.

Ich lächle weiter. Am Ende des Tages ist das zwar sehr anstrengend, aber ich halte durch.

»Du hast was ausgefressen.«

Schluß mit Lächeln.

Aber ich laß mich nicht entmutigen.

Beim Nachtisch versuch ich's wieder.

Zack: Lächeln!

Er schaut mich unbehaglich an.

»Komm mal her«, sagt er.

Ich spüre, daß mein Lächeln gewin‑
nen wird. Hoppla, ein neues Opfer. Ich
komme näher. Vielleicht will er mir einen
Kuß geben? Er hat mir mal erzählt, daß
er Popol gerne einen Kuß gegeben hat,
weil der ein sehr verschmuster Junge war.
Vielleicht hatte Popol das mit dem Lä‑
cheln schon von Geburt an kapiert? Oder
meine Mutter hatte sich Mühe gegeben, es
Popol beizubringen.

Ich geh ganz nah an meinen Vater
heran, lehne mich an seine Schulter. Seine
Wimpern klimpern. Ich lächle, grinse,
von einem Ohr zum andern.

»Du brauchst eine Zahnspange. Ich
habe bis heute nicht bemerkt, daß du vor‑
stehende Zähne hast.«

Ab diesem Abend fing ich an, nachts,
kaum war mein Vater eingeschlafen, run‑
ter zu Monsieur Ibrahim zu gehen.

»Es ist meine Schuld, wäre ich wie Popol, hätte es mein Vater leichter, mich liebzuhaben.«

»Woher willst du das wissen? Popol ist weg.«

»Na und?«

»Vielleicht konnte er deinen Vater nicht mehr ertragen.«

»Meinen Sie?«

»Er ist auf und davon. Das ist doch Beweis genug.«

Monsieur Ibrahim gab mir die Kupfermünzen, um sie zu rollen. Was mich ein bißchen beruhigte.

»Haben Sie Popol gekannt? Monsieur Ibrahim, haben Sie ihn gekannt, den Popol? Wie fanden Sie Popol?«

Er schlug kurz auf die Kasse, als wollte er vermeiden, daß sie redet.

»Momo, eins möchte ich dir sagen: Dich habe ich hundertmal, tausendmal lieber als Popol.«

»Ah ja?«

Ich war ziemlich froh, wollte das aber nicht zeigen. Ich ballte die Fäuste und fletschte ein wenig die Zähne. Man muß doch seine Familie verteidigen.

»Vorsicht, ich erlaube Ihnen nicht, schlecht über meinen Bruder zu sprechen. Was hatten Sie gegen Popol?«

»Er war sehr nett, Popol, sehr nett. Aber, tut mir leid, mir ist Momo lieber.«

Ich ließ Gnade walten: Ich verzieh ihm.

Eine Woche später schickte mich Monsieur Ibrahim zu einem Freund, einem Zahnarzt in der Rue Papillon. Augenscheinlich hatte Monsieur Ibrahim beste Verbindungen. Und am nächsten Tag sagte er zu mir:

»Momo, nicht zuviel lächeln, so reicht's. Nein, das war ein Witz... Mein Freund hat mir versichert, daß du keine Zahnspange brauchst.«

Er beugte sich mit lächelnden Augen zu mir runter.

»Stell dir vor, du in der Rue de Paradis mit Metall im Mund: Welcher könntest du dann noch weismachen, daß du schon sechzehn bist?«

Damit hatte Monsieur Ibrahim einen verdammt guten Treffer gelandet. Also habe ich ihn gebeten, mir schnell Kleingeld zum Rollen zu geben, um wieder Fassung zu gewinnen.

»Woher wissen Sie das alles, Monsieur Ibrahim?«

»Ich? Ich weiß gar nichts. Ich weiß nur, was in meinem Koran steht.«

Ich rollte weiter.

»Es ist sehr gut, zu den Professionellen zu gehen, Momo. Die ersten Male sollte man immer zu den Professionellen gehen, zu Frauen, die ihr Handwerk verstehen. Später, wenn es komplizierter wird, wenn sich Gefühle einmischen, kannst du dich mit den Amateurinnen begnügen.«

Ich fühlte mich besser.

»Gehen Sie auch manchmal in die Rue de Paradis?«

»Das Paradies steht für alle offen.«

»Och, Sie wollen mich auf den Arm nehmen, Monsieur Ibrahim. Sie wollen mir doch nicht weismachen, daß Sie da noch hingehen, in Ihrem Alter!«

»Wieso nicht? Ist das nur für Minderjährige reserviert?«

Da merkte ich, daß ich Mist geredet hatte.

»Momo, was hältst du davon, einen Spaziergang mit mir zu machen?«

»Ach, Sie laufen auch manchmal, Monsieur Ibrahim?«

Da hatte ich mal wieder was Dummes gesagt. Aber ich schob ein breites Lächeln hinterher.

»Nein, was ich sagen wollte, ist, ich habe Sie stets nur auf diesem Hocker sitzen sehen.«

Wie auch immer, ich war außer mir vor Freude.

Am nächsten Tag zeigte mir Monsieur Ibrahim Paris, das schöne Paris, das von den Ansichtskarten, das von den Touristen. Wir sind die Seine entlang gegangen, die einen ziemlich großen Bogen macht.

»Schau mal, Momo, die Brücken, die Seine liebt sie, wie eine Frau, die in ihre Armbänder vernarrt ist.«

Dann sind wir durch die Gärten der Champs-Elysées gelaufen, an den Theatern vorbei und am Kasperletheater. Dann in die Rue du Faubourg-Saint-Honoré, wo es viele Geschäfte gab mit den Namen bekannter Marken: Lanvin, Hermès, Saint-Laurent, Cardin..., die waren schon komisch, diese Boutiquen, alle rie-

sengroß und ganz leer im Vergleich zum
Laden von Monsieur Ibrahim, der nicht
größer war als ein Badezimmer, wo aber
nirgends noch ein Haar reinpaßte, wo
man vom Fußboden bis zur Decke auf
jedem Regal, dreimal hoch- und viermal
tiefgestapelt, alles Lebensnotwendige fand
– und auch das nicht so Notwendige.

»Es ist schon verrückt, Monsieur Ibrahim, wie arm die Schaufenster der Reichen sind. Nichts ist drin.«

»Das eben ist der Luxus, Momo, nichts
im Schaufenster, nichts im Laden, alles
im Preis.«

Zuletzt waren wir in den versteckten
Gärten vom Palais Royal, wo mich Monsieur Ibrahim zu einem frisch gepreßten
Zitronensaft einlud und wo er auf einem
Barhocker seine berühmte Regungslosig-
keit wiederfand, während er langsam einen Anisschnaps schlürfte.

»Muß toll sein, in Paris zu wohnen.«

»Aber du wohnst in Paris, Momo.«

»Nein, ich wohne in der Rue Bleue.«

Ich schaute ihm zu, wie er seine Anisette genoß.

»Ich dachte, daß Moslems keinen Alkohol trinken.«

»Ja, aber ich bin Sufi.«

Da wurde mir klar, daß ich zu indiskret wurde, daß mir Monsieur Ibrahim nichts weiter über seine Krankheit erzählen wollte — was eigentlich sein gutes Recht war; und ich schwieg, bis wir zurück waren in der Rue Bleue.

Am Abend habe ich dann im Larousse meines Vaters nachgeschlagen. Ich muß wirklich sehr besorgt um Monsieur Ibrahim gewesen sein, denn Wörterbücher hatten mich, wirklich, bis dahin immer tief enttäuscht.

»Sufismus: Mystische Richtung des Islam,

entstanden im 8. Jahrhundert. Im Gegensatz
zum Legalismus betont er die innere Versen-
kung.«

Da, schon wieder! Wörterbücher erklären einem immer nur die Wörter, die
man schon kennt.

Nun gut, der Sufismus war keine
Krankheit, was mich schon ein bißchen
beruhigte, er war eine Art des Denkens —
obwohl es auch Denkarten gibt, die eine
Krankheit sind, wie Monsieur Ibrahim
des öfteren sagte. Anschließend habe ich
dann sowas wie eine Schnitzeljagd ver-
anstaltet, um zu versuchen, all die Wörter der Erläuterung zu verstehen. Danach
konnte man annehmen, daß Monsieur
Ibrahim mit seinem Anisschnaps an Gott
in der Weise der Muselmanen glaubte,
aber in einer Art, die fast an Schummel
grenzte, weil »im Gegensatz zum Legalismus«, und das, das hat mir wirklich Mühe

gemacht ..., wenn Legalismus wirklich »strikte Befolgung der Gesetze« bedeutet, wie die Leute vom Wörterbuch behaupteten ..., bedeutet das doch, grob gesagt, etwas Schlimmes, nämlich, daß Monsieur Ibrahim unaufrichtig ist, daß also mein Umgang mit ihm kein Umgang für mich war. Wenn aber gleichzeitig das Gesetz zu achten bedeutet, ein Rechtsanwalt wie mein Vater zu sein, mit einem grauen Gesicht und einem derart tristen Zuhause, dann bin ich lieber mit Monsieur Ibrahim zusammen gegen den Legalismus. Und die Leute vom Wörterbuch fügten hinzu, daß der Sufismus von zwei alten Typen erfunden worden wäre, Al-Halladj und Al-Ghazali, Namen, mit denen man nur in einer Hinterhofmansarde hausen kann – jedenfalls in der Rue Bleue –, und sie gaben weiter an, daß es eine innere Versenkung sei, und das stimmt, Mon-

sicur Ibrahim war immer sehr verschwie-
gen, verglichen mit all den Juden in der
Straße.

Während des Essens konnte ich es mir
nicht verkneifen, meinen Vater, der gerade sein Hammelragout, Marke Chappi
Royal, verspeiste, zu fragen:

»Papa, glaubst du an Gott?«

Er schaute mich an. Dann sagte er
langsam:

»Ich sehe, du wirst ein Mann.«

Ich sah keinen Zusammenhang. Ich
habe mich allerdings einen Augenblick
lang gefragt, ob ihm nicht irgend jemand
von meinen Besuchen bei den Mädchen
in der Rue de Paradis erzählt hatte. Aber
er fuhr fort:

»Nein, ich habe es nie geschafft, an
Gott zu glauben.«

»Nie geschafft? Warum? Muß man sich
dabei so anstrengen?«

Er schaute sich im Halbdunkel der Wohnung um.

»Um zu glauben, daß das alles einen Sinn hat? Ja. Da muß man sich schon sehr anstrengen.«

»Aber Papa, wir sind doch Juden, du und ich?«

»Ja.«

»Und Jude sein hat mit Gott nichts zu tun?«

»Für mich nicht mehr. Jude zu sein bedeutet einfach, Erinnerungen zu haben. Schlechte Erinnerungen.«

Und dabei machte er ein Gesicht, als hätte er ein paar Aspirin nötig. Vielleicht, weil er mal ausnahmsweise gesprochen hatte. Er stand auf und ging direkt ins Bett.

Einige Tage später kam er noch blasser nach Hause als gewöhnlich. Ich fing an, mich schuldig zu fühlen. Ich sagte mir, mit dem Scheiß, den ich ihm zu essen gebe, hätte ich seine Gesundheit ruiniert.

Er setzte sich hin und gab mir zu verstehen, daß er etwas zu sagen hatte. Was ihm aber erst nach zehn Minuten gelang.

»Man hat mich rausgeschmissen, Moses. Man will mich nicht mehr haben in der Kanzlei, wo ich arbeite.«

Nun, sehr erstaunt hat mich das nicht, daß man keine Lust hatte, mit meinem Vater zu arbeiten – bestimmt hat er die Verbrecher deprimiert –, aber gleichzeitig wäre es mir nie in den Sinn gekommen, daß ein Anwalt aufhören könnte, ein Anwalt zu sein.

»Ich werde Arbeit suchen müssen. Anderswo. Wir werden den Gürtel enger schnallen müssen, mein Kleiner.«

Er ging ins Bett. Offensichtlich interessierte es ihn nicht, wie ich darüber dachte.

Ich ging runter zu Monsieur Ibrahim, der lächelnd ein paar Erdnüsse kaute.

»Wie schaffen Sie es, Monsieur Ibrahim, glücklich zu sein?«

»Ich weiß, was in meinem Koran steht.«

»Vielleicht sollte ich Ihnen eines Tages Ihren Koran klauen. Aber als Jude darf man das ja nicht.«

»Hhm. Was bedeutet es denn für dich, Momo, ein Jude zu sein?«

»Tja, ich weiß nicht. Für meinen Vater bedeutet das, den ganzen Tag lang deprimiert zu sein. Für mich ... nur etwas, das mich daran hindert, etwas anderes zu sein.«

Monsieur Ibrahim gab mir eine Erdnuß.

»Deine Schuhe sind hinüber, Momo. Wir gehen dir morgen ein Paar neue kaufen.«

»Ja, aber…«

»Ein Mensch verbringt sein Leben in nur zwei Stätten: Entweder in seinem Bett oder in seinen Schuhen.«

»Ich habe kein Geld, Monsieur Ibra-him.«

»Ich werde sie bezahlen. Ein Geschenk von mir. Momo, du hast nur ein Paar Füße, man muß auf sie aufpassen. Drük-ken dich die Schuhe, wechsle sie. Füße kann man nicht wechseln.«

Als ich am nächsten Tag aus der Schule kam, fand ich auf dem Boden der dunklen Diele einen Zettel. Ich weiß nicht, warum mein Herz sofort wie wild zu schlagen anfing, als ich die Schrift mei-nes Vaters erkannte:

Moses,

es tut mir leid, ich bin weg. Ich kann einfach kein richtiger Vater sein. Popo…

Dann war was durchgestrichen. Ohne Zweifel hat er mir einen Satz über Popol hinschmieren wollen. In der Art wie: »mit Popol hätte ich es geschafft, aber nicht mit dir« oder: »Popol hätte mir Kraft und Energie gegeben, ein Vater zu sein, aber du nicht«, kurz, irgendeine Sauerei, die er sich dann doch nicht getraut hat, aufzuschreiben. Aber ich hatte schon ver⁄standen. Danke.

Vielleicht sehen wir uns eines Tages wieder, später, wenn Du erwachsen bist. Wenn ich mich nicht mehr so schämen muß und Du mir ver⁄ziehen hast.
Lebwohl.

Genau, Lebwohl!

P.S. Ich habe alles Geld, was ich noch hatte, auf den Tisch gelegt. Hier noch die Liste mit den

Leuten, die Du von meiner Abreise benachrich-
tigen mußt. Sie werden sich um Dich kümmern.

Es folgte eine Liste mit vier Namen, die
ich nicht kannte.

Ich faßte einen Entschluß. Weiter tun
als ob.

Es kam gar nicht in Frage, daß ich zu-
gebe, verlassen worden zu sein. Zweimal
verlassen, einmal nach meiner Geburt von
meiner Mutter, das zweite Mal als Her-
anwachsender von meinem Vater. Würde
das bekannt, gäbe mir niemand mehr eine
Chance. Was war nur so abscheulich an
mir? Was war bloß an mir, daß man mich
nicht liebhaben konnte? Meine Entschei-
dung war unwiderruflich: Ich werde die
Anwesenheit meines Vaters vortäuschen.
Ich werde so tun, als würde er weiter hier
wohnen, essen, zusammen mit mir seine
langen, langweiligen Abende verbringen.

Daher zögerte ich keine Sekunde: Ich ging runter in den Laden.

»Monsieur Ibrahim, mein Vater hat Verdauungsprobleme. Haben Sie was dagegen?«

»Fernet Branca, Momo. Hier hast du ein Taschenfläschchen.«

»Danke. Ich geh gleich wieder rauf und geb's ihm.«

Mit dem Geld, das er mir dagelassen hatte, konnte ich einen Monat lang auskommen. Ich brachte mir bei, seine Unterschrift nachzumachen, um die wichtigsten Briefe zu beantworten, z. B. die aus der Schule. Ich kochte weiterhin für zwei, stellte jeden Abend seinen Teller mir gegenüber hin; nur, daß ich nach dem Essen seine Portion in den Ausguß kippte.

Wegen der Nachbarn von gegenüber setzte ich mich ein paar Abende in der Woche in seinen Sessel, hatte dabei seinen

Pulli, seine Schuhe an, dazu Mehl in den Haaren, und versuchte, den schönen, nagelneuen Koran zu lesen, den mir Monsieur Ibrahim geschenkt, um den ich ihn angebettelt hatte.

In der Schule, sagte ich mir, war keine Sekunde zu verlieren: Ich mußte mich verlieben. Viel Auswahl gab es nicht, denn wir waren keine gemischte Schule; alle waren in die Tochter des Hausmeisters verknallt. Myriam, obwohl erst dreizehn Jahre alt, hatte sehr schnell spitzgekriegt, daß sie die Herrin über dreihundert lechzende Pubertätlinge war. Mit der Inbrunst eines Ertrinkenden fing ich an, ihr den Hof zu machen.

Zack: Lächeln!

Ich mußte mir beweisen, daß man mich lieben konnte, ich mußte es der ganzen Welt zeigen, bevor man entdeckte, daß sogar meine Eltern, die einzigen Menschen, die verpflichtet gewesen wären, mich zu ertragen, es vorgezogen hatten, sich aus dem Staub zu machen.

Ich erzählte Monsieur Ibrahim von meiner Eroberung Myriams. Er hörte mir zu, mit dem zarten Lächeln von einem, der bereits weiß, wie die Geschichte ausgeht, während ich so tat, als bemerkte ich das nicht.

»Und wie geht es deinem Vater? Ich sehe ihn morgens gar nicht mehr...«

»Der hat viel zu tun. Bei seiner neuen Stelle muß er sehr früh aus dem Haus...«

»Ah ja? Und es macht ihn nicht wütend, daß du in dem Koran liest?«

»Ich tu's eh heimlich..., und verstehen tu ich sowieso nicht viel.«

»Will man etwas lernen, greift man nicht zum Buch. Man sucht sich Leute, mit denen man reden kann. Ich glaube nicht an Bücher.«

»Obwohl Sie mir immer selbst sagen, Monsieur Ibrahim, daß Sie wissen, was…«

»Ja, daß ich weiß, was in meinem Koran steht…, Momo, ich hätte Lust aufs Meer. Wir könnten in die Normandie fahren. Kommst du mit?«

»Oh, wirklich?«

»Natürlich nur, wenn dein Vater einverstanden ist.«

»Er wird einverstanden sein.«

»Bist du sicher?«

»Wenn ich's Ihnen sage, er wird einverstanden sein!«

Als wir die Halle des Grandhotels in Cabourg betraten, konnte ich mich nicht zurückhalten: Ich mußte weinen. Zwei, drei Stunden lang hab ich geweint, ich konnte mich gar nicht mehr beruhigen.

Monsieur Ibrahim sah zu, wie ich

weinte. Voller Geduld wartete er, daß ich
was sagte. Dann endlich konnte ich wieder reden:

»Es ist zu schön hier, Monsieur Ibrahim, viel zu schön. Das ist nichts für
mich. Ich bin es nicht wert.«

Monsieur Ibrahim lächelte.

»Die Schönheit, Momo, ist überall.
Wohin du auch deine Augen wendest.
Das steht in meinem Koran.«

Danach sind wir am Meer spazieren-
gegangen.

»Weißt du, Momo, dem Menschen,
dem nicht Gott direkt das Leben offen-
bart hat, dem wird es auch kein Buch
offenbaren können.«

Ich habe ihm von Myriam erzählt, habe
ihm alles mögliche über sie erzählt, bloß
um zu vermeiden, über meinen Vater zu
reden. Nachdem sie mich in ihren Hof-
staat von Verehrern aufgenommen hatte,

fing sie an, mich als ihrer nicht würdig zurückzuweisen.

»Das macht gar nichts«, sagte Monsieur Ibrahim. »Deine Liebe zu ihr gehört dir. Die kann dir keiner nehmen. Auch wenn sie sie nicht annimmt, kann sie daran nichts ändern. Ihr entgeht nur was, das ist alles. Was du verschenkst, Momo, bleibt immer dein Eigen; was du behältst, ist für immer verloren!«

»Aber Sie haben doch eine Frau?«

»Ja.«

»Und warum sind Sie nicht mit ihr hier?«

Er zeigte mit dem Finger aufs Meer.

»Das hier ist wirklich ein englisches Meer, grün und grau, keine normale Farbe für das Wasser, man könnte meinen, es hätte diesen Akzent angenommen.«

»Wollen Sie mir zu Ihrer Frau nicht

antworten, Monsieur Ibrahim? Zu Ihrer Frau?«

»Momo, keine Antwort ist auch eine Antwort.«

Jeden Morgen stand Monsieur Ibrahim als erster auf. Er ging ans Fenster, streckte seine Nase ins Licht und machte seine Gymnastik, langsam — jeden Morgen, ein ganzes Leben lang, seine Gymnastik. Er war unglaublich gelenkig, und von meinem Kopfkissen aus, wenn ich die Augen halb aufmachte, meinte ich, den jungen, schlanken und unbekümmerten Mann zu sehen, der er vor sehr langer Zeit gewesen sein mußte.

Zu meinem großen Erstaunen entdeckte ich eines Tages im Badezimmer, daß Monsieur Ibrahim beschnitten war.

»Sie auch, Monsieur Ibrahim?«

»Die Moslems, Momo, genauso wie die Juden. Das ist das Opfer von Abraham:

Er streckt sein Kind Gott entgegen und sagt ihm, daß er es haben kann. Dies Stückchen Haut, das uns fehlt, ist das Mal Abrahams. Bei der Beschneidung muß der Vater seinen Sohn halten, der Vater bringt seinen eigenen Schmerz dar zur Erinnerung an das Opfer Abrahams.«

Durch Monsieur Ibrahim begriff ich, daß die Juden, die Muselmanen und sogar die Christen sich einen Haufen bedeutender Männer teilten, bevor sie damit begannen, sich gegenseitig die Schädel einzuschlagen. Was mich zwar nichts anging, aber mir irgendwie guttat.

Nach unserer Rückkehr aus der Normandie, als ich wieder in die dunkle und leere Wohnung kam, fühlte ich mich nicht anders, nein, ich fand aber, daß die Welt anders sein könnte. Ich sagte mir, daß ich die Fenster aufmachen könnte, daß die Wände heller sein könnten, ich sagte mir, daß mich nichts zwang, diese Möbel zu behalten, die nach Vergangenheit rochen, nach keiner sehr schönen Vergangenheit, nein, nach einer alten Vergangenheit, einer ranzigen, die wie ein alter Scheuerlappen stinkt.

Ich hatte kein Geld mehr. Ich begann, die Bücher zu verkaufen, stapelweise, an jene Bouquinisten am Ufer der Seine, die ich bei den Spaziergängen mit Monsieur Ibrahim entdeckt hatte. Jedesmal, wenn ich ein Buch verkauft hatte, fühlte ich mich ein bißchen freier.

Drei Monate waren jetzt vergangen, seitdem mein Vater verschwunden war. Ich tat immer noch so, als ob ich für zwei kochte, und seltsamerweise fragte mich Monsieur Ibrahim immer weniger nach ihm. Meine Beziehung zu Myriam verschlechterte sich zusehends, aber sie lieferte mir jede Menge Stoff für meine abendlichen Gespräche mit Monsieur Ibrahim.

Sicher, an einigen Abenden wurde mir das Herz schon schwer. Weil ich an Popol dachte. Jetzt, wo mein Vater nicht mehr da war, hätte ich Popol gern kennengelernt. Bestimmt würde ich ihn nun besser ertragen, da er mir nicht mehr ständig als das Gegenteil zu meiner Nichtsnutzigkeit vor die Nase gehalten würde. Oft, vor dem Einschlafen, dachte ich daran, daß ich irgendwo auf der Welt einen Bruder hatte, schön und ohne Fehl und Tadel, ich kannte ihn zwar nicht, würde ihn aber möglicherweise eines Tages kennenlernen.

Eines morgens klopfte die Polizei an die Tür. Sie schrien wie im Film.

»Aufmachen! Polizei!«

Ich sagte mir: Da haben wir's, es ist aus, ich hab zuviel geschwindelt, sie wollen mich verhaften.

Ich zog mir einen Bademantel über und habe alle Riegel aufgemacht. Sie sahen gar nicht so grimmig aus, wie ich gedacht hatte, sie haben sogar höflich gefragt, ob sie reinkommen dürften. Was mir ganz recht war, da ich mich lieber noch anziehen wollte, bevor ich ins Gefängnis ging.

Im Salon nahm der Kommissar meine Hand und sagte freundlich zu mir:

»Mein Junge, wir haben eine schlechte Nachricht für Sie. Ihr Vater ist tot.«

Ich weiß nicht, was mich im Grunde mehr überrascht hat, der Tod meines Vaters oder daß der Bulle Sie zu mir gesagt hat. Jedenfalls bin ich daraufhin erst mal in den Sessel gesackt.

»Er hat sich in der Nähe von Marseille vor einen Zug geworfen.«

Auch das war merkwürdig: Deswegen nach Marseille zu fahren! Züge gibt es doch überall. Sogar in Paris, jede Menge, wenn nicht noch mehr. Also wirklich, ich konnte meinen Vater einfach nicht verstehen.

»Alles deutet daraufhin, daß Ihr Vater verzweifelt war und freiwillig aus dem Leben geschieden ist.«

Ein Vater, der Selbstmord macht, das trug auch nicht gerade dazu bei, mich besser zu fühlen. Ich fragte mich, ob ich letzten Endes nicht lieber einen Vater gehabt hätte, der mich verläßt; dann hätte ich wenigstens annehmen können, daß ihn sein schlechtes Gewissen zerfrißt.

Die Polizisten schienen mein Schweigen zu verstehen. Sie schauten sich die leeren Bücherregale an, die triste Wohnung, in der sie sich befanden, und dachten wohl, uff, nur noch ein paar Minuten, und wir sind weg.

»Wen sollen wir benachrichtigen, mein Junge?«

Da reagierte ich endlich angemessen. Ich stand auf und holte die Liste mit den vier Namen, die er dagelassen hatte, als er ging. Der Kommissar steckte sie ein.

»Wir werden die ganze Sache dem Jugendamt melden.«

Dann kam er auf mich zu, schaute mich an wie ein geprügelter Hund, und sofort ahnte ich, daß er mich gleich etwas Furchtbares fragen würde.

»Ich muß Sie jetzt um etwas Unangenehmes bitten: Sie müssen die Leiche identifizieren.«

Das wirkte auf mich wie ein Alarmsignal. Ich fing an zu schreien, als hätte man auf einen Knopf gedrückt. Die Polizisten sprangen um mich herum, als suchten sie den Abstellschalter. Leider keine Chance, der Schalter war nämlich ich, und ich konnte nicht aufhören.

Monsieur Ibrahim verhielt sich mustergültig. Als er das Geschrei hörte, kam er rauf, verstand sofort die Situation und sagte, daß er nach Marseille fahren würde, um die Leiche zu identifizieren. Am Anfang waren die Polizisten ihm gegenüber mißtrauisch, weil er wirklich wie ein Araber aussah, aber da ich wieder losbrüllte, akzeptierten sie den Vorschlag von Monsieur Ibrahim.

Nach der Beerdigung fragte ich Monsieur Ibrahim:

»Seit wann haben Sie das mit meinem Vater gewußt, Monsieur Ibrahim?«

»Seit Cabourg. Aber hör mal, Momo, du darfst deinem Vater nicht böse sein.«

»Ah ja? Und wieso? Ein Vater, der mir das Leben vermasselt, der mich verläßt und sich umbringt, das macht verdammt viel Mut zum Leben. Und dem soll ich nicht böse sein?«

»Dein Vater hatte kein Vorbild. Er hat

sehr jung seine Eltern verloren, sie wurden von den Nazis abgeholt und sind in den Lagern umgekommen. Dein Vater hat es nie überwinden können, all dem entkommen zu sein. Er hat sich Vorwürfe gemacht, überlebt zu haben. Nicht umsonst hat er sich vor einen Zug geworfen.«

»Und warum?«

»Seine Eltern sind mit einem Zug in den Tod deportiert worden. Und seit langem hat er vielleicht nach seinem Zug gesucht... Wenn er keine Kraft mehr zum Leben hatte, dann nicht deinetwegen, Momo, sondern wegen alldem, was vor dir gewesen oder nicht gewesen ist.«

Dann steckte mir Monsieur Ibrahim ein paar Scheine zu.

»Da, geh in die Rue de Paradis. Die Mädchen fragen sich, wie weit du mit deinem Buch über sie bist...«

Ich fing an, die gesamte Wohnung in

der Rue Bleue zu verändern. Monsieur Ibrahim gab mir ein paar Töpfe mit Farbe und Pinsel. Er gab mir außerdem Tips, wie man die Frau auf dem Jugendamt in den Wahnsinn treibt, um so Zeit zu ge‚ winnen.

Eines Nachmittags, als ich alle Fenster aufgemacht hatte, damit der Gestank der Farbe verfliegt, kam eine Frau in die Wohnung.

Ich weiß nicht warum, aber ihre Scheu, ihr Zögern, ihre Art, sich nicht zu trauen, zwischen den Leitern durchzugehen, und die Farbkleckse auf dem Fußboden zu vermeiden, hat mir sofort klargemacht, wer sie war.

Ich tat so, als wäre ich sehr in meine Arbeit vertieft.

Schließlich räusperte sie sich leicht.

Ich mimte den Überraschten.

»Sie suchen?«

»Ich suche Moses«, sagte meine Mutter.

Merkwürdig, was für Schwierigkeiten sie hatte, diesen Namen auszusprechen, als wollte er ihr nicht über die Lippen gehen.

Ich machte mir einen Spaß daraus, sie an der Nase rumzuführen.

»Wer sind Sie?«

»Ich bin seine Mutter.«

Die arme Frau, sie tut mir leid. In einem Zustand ist die. Es muß sie eine mächtige Überwindung gekostet haben, hierher zu kommen. Sie schaut mich nachdrücklich an, versucht in meinem Gesicht zu lesen. Sie hat Angst, große Angst.

»Und du, wer bist du?«

»Ich?«

Ich habe große Lust zu lachen. Eine solche Situation auf sich zu nehmen, und das nach dreizehn Jahren.

»Man nennt mich Momo.«

Ihr Gesicht zerfällt.

Grinsend füge ich hinzu:

»Der Spitzname für Mohammed.«

Sie wird noch blasser als die Fußlei-
sten.

»Was? Du bist nicht Moses?«

»Oh nein. Nur keine Verwechslung,
Madame. Ich bin Mohammed.«

Sie schluckt. Im Grunde ist ihr das gar
nicht so unangenehm.

»Aber wohnt hier nicht ein Junge, der
Moses heißt?«

Ich will ihr antworten: Ich weiß es
nicht, Sie sind doch seine Mutter, Sie sollten es wissen. Aber im letzten Moment
halte ich mich zurück, weil die arme Frau
ziemlich wacklig auf den Beinen zu sein
scheint. Statt dessen tische ich ihr eine
hübsche, kleine und viel bequemere Lüge
auf.

»Moses ist weg, Madame. Er hatte die

Nase voll. Er denkt nicht gern an hier zurück.«

»Ah so?«

Na ja, ich frage mich, ob sie mir glaubt. Sie scheint nicht überzeugt zu sein. Vielleicht ist sie doch nicht so blöd.

»Und wann kommt er zurück?«

»Keine Ahnung. Als er ging, sagte er, er wolle seinen Bruder suchen.«

»Seinen Bruder?«

»Ja, Moses hat einen Bruder.«

»Ach ja?«

Sie scheint völlig aus der Fassung zu sein.

»Ja, seinen Bruder Popol.«

»Popol?«

»Ja, Madame, Popol, seinen älteren Bruder.«

Ich frage mich, ob sie mich jetzt nicht für völlig schwachsinnig hält. Oder glaubt sie wirklich, daß ich Mohammed bin?

»Aber vor Moses hatte ich kein Kind. Ich habe niemals einen Popol gehabt.«

Und da fang ich an, mich mies zu fühlen.

Sie merkt es, sie bekommt dermaßen weiche Knie, daß sie in einem Sessel Schutz sucht, und ich tu meinerseits das Gleiche.

Schweigend schauen wir uns an, die Nase voll mit dem scharfen Gestank von der Farbe. Sie mustert mich eingehend, kein Wimpernschlag von mir entgeht ihr.

»Sag mir, Momo...«

»Mohammed.«

»Sage mir, Mohammed, du wirst doch Moses wiedersehen?«

»Schon möglich.«

Ich antwortete ihr in einem völlig gleichgültigen Ton, ich habe nie gedacht, daß ich zu soviel Gleichgültigkeit fähig wäre. Sie schaut mir tief in die Augen. Sie kann schauen soviel sie will, ich bin mir ganz sicher, aus mir kriegt sie nie was raus.

»Falls du eines Tages Moses wieder-siehst, sag ihm, daß ich sehr jung war, als ich seinen Vater geheiratet habe, daß ich ihn nur geheiratet habe, um von Zuhause wegzukommen. Ich habe den Vater von Moses nie geliebt. Aber Moses hätte ich geliebt. Nur habe ich dann einen anderen Mann kennengelernt. Dein Vater...«

»Bitte?«

»Moses' Vater wollte ich sagen, er hat zu mir gesagt: Geh und laß mir Moses, sonst ... Ich bin gegangen. Ich habe es vorgezogen, ein neues Leben zu begin-nen, ein Leben, in dem es Glück gibt.«

»Das ist bestimmt auch besser so.«

Sie senkt die Augen.

Sie nähert sich mir. Ich spüre, daß sie mir einen Kuß geben will. Ich tu so, als würde ich nicht verstehen.

Sie bittet mit flehender Stimme:

»Das wirst du Moses doch sagen?«

»Schon möglich.«

Noch am gleichen Abend bin ich runter zu Monsieur Ibrahim und habe ihn fröhlich gefragt:

»Also, wann werden Sie mich adoptieren, Monsieur Ibrahim?«

Und er hat ebenso fröhlich geantwortet:

»Wenn du willst, schon morgen, mein Kleiner!«

Das war ein ziemlicher Kampf. Die Leute auf den Ämtern, mit ihren Stempeln, mit ihren Formularen, diese Beamten, die wütend werden, wenn man sie aus ihrem Schlaf reißt, hatten was gegen uns. Aber nichts konnte Monsieur Ibrahim entmutigen.

»Ein Nein haben wir bereits einge

steckt, Momo. Also müssen wir uns jetzt um ein Ja bemühen.«

Meine Mutter hat, nach Fürsprache der Frau vom Jugendamt, am Ende dem Antrag von Monsieur Ibrahim zugestimmt.

»Und Ihre Frau, Monsieur Ibrahim, ist sie damit einverstanden?«

»Meine Frau ist seit langem in die Heimat zurückgekehrt. Ich tue und lasse, was ich will. Aber wenn du Lust hast, können wir sie diesen Sommer besuchen.«

Am Tag, an dem wir das Papier bekamen, dieses berühmte Papier, in dem stand, daß ich ab sofort der Sohn von dem war, den ich mir ausgesucht hatte, beschloß Monsieur Ibrahim, wir sollten uns, um das zu feiern, ein Auto kaufen.

»Wir werden Reisen machen, Momo. Und diesen Sommer werden wir zusammen zum Goldenen Halbmond fahren, ich werde dir das Meer zeigen, das einzige Meer, das Meer, wo ich herkomme.«

»Sollten wir da nicht auf einem fliegenden Teppich hin?«

»Schau dir lieber die Prospekte an und such dir ein Auto aus.«

»Ja, Papa.«

Es ist schon verrückt, wie man bei den gleichen Worten die verschiedensten Gefühle haben kann. Sagte ich zu Monsieur Ibrahim »Papa«, lachte mein Herz, ich blühte auf, mir leuchtete eine Zukunft. Wir gingen zum Autohändler.

»Ich möchte dieses Modell kaufen. Mein Sohn hat es ausgesucht. »

Monsieur Ibrahim war noch schlimmer als ich, was die Wortwahl anging. In jedem Satz kam »mein Sohn« vor, als hätte er gerade die Vaterschaft erfunden.

Der Verkäufer fing an, die Vorzüge des Wagens zu loben.

»Sie brauchen ihn mir nicht anzuprei-
sen, ich habe doch gesagt, daß ich ihn
kaufen will.«

»Haben Sie einen Führerschein, Monsieur?«

»Aber sicher.«

Und Monsieur Ibrahim kramte aus seiner ledernen Brieftasche ein Papier, das
höchstwahrscheinlich zur Zeit der alten
Ägypter ausgestellt worden war. Der Verkäufer starrte voller Schreck auf den Pa-
pyrus, erstens, weil die Buchstaben fast
alle vergilbt waren, und zweitens, weil es
in einer Sprache geschrieben war, die er
nicht kannte.

»Das ist ein Führerschein?«

»Das sieht man doch, oder?«

»Gut. Also, Sie können in Raten zahlen. Über drei Jahre hinweg macht das
zum Beispiel monatlich...«

»Wenn ich sage, daß ich einen Wagen

kaufen will, dann kann ich das auch. Ich zahle bar.«

Monsieur Ibrahim war zutiefst beleidigt. Also wirklich, dieser Verkäufer ließ kein Fettnäpfchen aus.

»Dann bitte ich Sie um einen Scheck in Höhe von...«

»Jetzt reicht's! Ich sagte Ihnen doch, ich zahle bar. Mit Geld. Mit richtigem Geld.«

Und er legte bündelweise Scheine auf den Tisch, dicke Bündel gebrauchter Scheine, die er aus Plastiktüten holte.

Der Verkäufer rang nach Luft.

»Aber..., aber..., niemand zahlt bar..., das..., das geht nicht...«

»Ja, ist denn das kein Geld? Ich hab's doch auch angenommen, warum dann nicht Sie? Momo, sind wir hier in einem seriösen Laden?«

»Gut. Dann machen wir es eben so. Wir liefern den Wagen in zwei Wochen.«

»In zwei Wochen? Unmöglich. In zwei Wochen bin ich tot!«

Zwei Tage später wurde uns der Wagen vor den Laden gestellt ... Monsieur Ibrahim war schon ein As.

Nachdem Monsieur Ibrahim eingestiegen war, betastete er vorsichtig mit seinen langen, feinen Fingern all die Knöpfe; dann wischte er sich die Stirn, er war ganz grün.

»Ich kann's nicht mehr, Momo.«

»Sie haben's doch gelernt?«

»Ja, von meinem Freund Abdullah, ist aber lange her. Nur...«

»Nur?«

»Nur, daß die Wagen anders waren.«

Monsieur Ibrahim mußte nach Luft schnappen.

»Sagen Sie, Monsieur Ibrahim, die Autos, in denen Sie gelernt haben, die wurden nicht von Pferden gezogen, oder?«

»Nein, Momo, von Eseln.«

»Und Ihr Führerschein neulich, was war das?«

»Hm..., das war ein alter Brief von meinem Freund Abdullah, in dem er mir schrieb, wie die Ernte war.«

»Na, dann sitzen wir ja ganz schön in der Kacke!«

»Du sagst es, Momo.«

»Und in Ihrem Koran steht nichts darüber, was uns, wie üblich, helfen könnte?«

»Momo, ich bitte dich, der Koran ist kein Handbuch für Mechaniker! Er ist für geistige Sachen da, nicht für Schrottlauben. Außerdem verreist man im Koran auf Kamelen!«

»Nur nicht die Nerven verlieren, Monsieur Ibrahim.«

Schließlich beschloß Monsieur Ibrahim, daß wir zusammen Fahrstunden nehmen. Da ich noch nicht alt genug war, nahm offiziell er die Stunden, während ich hinten auf dem Rücksitz hockte und wie ein Kiebitz aufpaßte, was der Lehrer erklärte. War dann die Stunde zu Ende, holten wir unser Auto, und ich setzte mich ans Steuer. Wir fuhren nachts durch Paris, um den Verkehr zu vermeiden.

Ich kam immer besser zurecht.

Als dann schließlich der Sommer anbrach, haben wir uns auf den Weg gemacht.

Tausende von Kilometern. Durch ganz Südeuropa sind wir durch. Bei offenen Fenstern. Bis in den Vorderen Orient. Es war unglaublich, zu entdecken, wie interessant die Welt wurde, wenn man mit Monsieur Ibrahim reiste. Da ich hinter dem Steuer hockte und mich auf die Straße konzentrierte, beschrieb er mir die Landschaften, den Himmel, die Wolken, die Dörfer, die Leute, die dort wohnten.

Das Geplapper von Monsieur Ibrahim, sein Stimmchen, dünn wie Zigarettenpapier, sein kleiner Akzent, seine Beschreibungen, seine Ausrufe, sein Erstaunen, das sich mit sarkastischen Bemerkungen abwechselte, das war mein Weg von Paris nach Istanbul. Von Europa habe ich nichts gesehen, nur gehört.

»Oh, Momo, hier sind wir bei den Reichen: Schau mal, die haben Mülltonnen.«

»Mülltonnen? Na und?«

»Wenn du wissen willst, ob du in einer reichen Gegend bist oder in einer armen, dann schau dir die Mülltonnen an. Siehst du weder Müll noch Tonnen, dann ist sie sehr reich. Siehst du die Tonnen und keinen Müll, dann ist sie reich. Siehst du den Müll neben den Tonnen, dann ist sie weder reich noch arm, sondern von Touristen überlaufen. Siehst du den Müll ohne Tonnen, dann ist sie arm. Und leben

Menschen im Müll, dann ist sie sehr, sehr arm. Hier ist es reich.«

»Sicher, wir sind ja auch in der Schweiz.«

»Ach nein, nicht die Autobahn, Momo, nicht die Autobahn. Autobahnen sagen: durchfahren, hier gibt's nichts zu sehen. Das ist was für Idioten, die so schnell wie möglich von einem Punkt zum anderen wollen. Wir machen hier keine Geometrie, wir reisen. Such uns hübsche, kleine Seitenstraßen, die uns alles zeigen, was es zu sehen gibt.«

»Man merkt, daß Sie nicht am Steuer sitzen, M'sieur Ibrahim.«

»Hör mal, Momo, wenn du nichts sehen willst, dann nimm, wie alle Leute, das Flugzeug.«

»Ist es hier arm, M'sieur Ibrahim?«

»Ja, das ist Albanien.«

»Und hier?«

»Halte mal. Riechst du das? Es riecht nach Glück. Das ist Griechenland. Die Menschen sind bedächtig, sie nehmen sich die Zeit, uns beim Vorbeifahren zu-zuschauen, sie atmen tief durch. Siehst du, Momo, ich habe mein ganzes Leben lang hart gearbeitet, aber ich habe lang-sam gearbeitet, habe mir viel Zeit dabei gelassen, ich wollte keinen großen Um-satz machen oder die Kunden Schlange stehen sehen, nein. Die Langsamkeit, sie ist das Geheimnis des Glücks. Was möch-test du später mal werden?«

»Ich weiß nicht, Monsieur Ibrahim. Doch, Import-Export.«

»Import-Export?«

Damit hatte ich einen Punkt gemacht, ich hatte das magische Wort gefunden. Import-Export, ein Wort, das Monsieur Ibrahim von nun an immer im Munde führte, ein ordentliches Wort und gleichzeitig ein abenteuerliches, ein Wort, das an Reisen denken läßt, an Schiffe, an Kisten, an große Umsätze, ein Wort, schwer wie die Silben, die es rollen läßt, Import-Export!

»Darf ich Ihnen meinen Sohn Momo vorstellen, er wird eines Tages in Import-Export machen?«

Wir spielten viele Spiele. Er führte mich mit verbundenen Augen in religiöse Bauwerke, damit ich allein am Geruch deren Religion errate.

»Hier riecht's nach Kerzen, katholisch.«

»Ja, das ist Sankt Antonius.«

»Hier riecht's nach Weihrauch, orthodox.«

»Stimmt. Das ist die Hagia Sophia.«

»Und hier riecht's nach Füßen, muselmanisch. Nein, wirklich, das stinkt doch sehr...«

»Was! Das ist die Blaue Moschee! Ein Ort, der nach Körper riecht, ist nicht gut genug für dich? Riechen denn deine Füße nie? Ein Ort des Gebets, der nach Mensch riecht, geschaffen für Menschen, mit Menschen drin, der ekelt dich? Typisch Paris, wie du denkst! Für mich hat dieser Duft nach Socken etwas Beruhigendes. Ich bin, sage ich mir, nicht besser als mein Nachbar. Ich rieche mich, ich rieche uns, und schon fühle ich mich wohler!«

Ab Istanbul sprach dann Monsieur Ibrahim immer weniger. Er war aufgewühlt.

»Bald sind wir am Meer, dort, wo ich herkomme.«

Jeden Tag wollte er, daß wir noch langsamer fahren. Er wollte es genießen. Er hatte wohl auch Angst.

»Wo ist denn nun das Meer, wo Sie herkommen, Monsieur Ibrahim? Zeigen Sie es mir auf der Karte.«

»Ach, laß mich mit deinen Karten in Ruhe, Momo, wir sind hier nicht in der Schule!«

Wir hielten in einem Bergdorf an.

»Ich bin glücklich, Momo. Ich habe dich, und ich weiß, was in meinem Koran steht. Jetzt möchte ich dich zum Tanzen mitnehmen.«

»Zum Tanzen, Monsieur Ibrahim?«

»Das muß sein. Unbedingt. ›Das Herz eines Menschen ist wie ein Vogel, eingesperrt in den Käfig des Körpers.‹ Wenn du tanzt, singt das Herz wie ein Vogel, der sich danach sehnt, mit Gott eins zu werden. Komm, laß uns zur Tekke gehen.«

»Wohin?«

»Ein komischer Tanzboden!« sagte ich, als ich über die Schwelle trat.

»Eine Tekke ist kein Tanzboden, das ist ein Kloster. Momo, zieh deine Schuhe aus.«

Und da habe ich zum ersten Mal die sich drehenden Männer gesehen. Die Derwische trugen lange, helle, schwere, weiche Gewänder. Eine Trommel erklang. Und die Mönche verwandelten sich in Kreisel.

»Siehst du, Momo, sie drehen sich um sich selbst, sie drehen sich um ihr Herz, um den Ort, wo Gott wohnt. Das ist wie ein Gebet.«

»Das nennen Sie beten?«

»Aber ja, Momo. Sie verlieren jede Bindung an die Erde, diese Schwere, die man Gleichgewicht nennt, sie werden zu Fackeln, die in einem großen Feuer verbrennen. Versuch es, Momo, versuch es. Mach es mir nach.«

Und Monsieur Ibrahim und ich fingen an, uns zu drehen.

Ich dachte bei den ersten Drehungen: *Ich bin glücklich mit Monsieur Ibrahim.* Dann sagte ich mir: *Ich bin meinem Vater nicht mehr böse, daß er weggegangen ist.* Und am Ende dachte ich sogar: *Eigentlich hatte meine Mutter keine andere Wahl, als sie...*

»Na, Momo, hast du an etwas Schönes gedacht?«

»Ja, es war unglaublich. Mein Haß war wie weggespült. Hätten die Trommeln nicht aufgehört, wäre ich auch mit dem Problem mit meiner Mutter klargekommen. Das Beten war ganz toll, M'sieur Ibrahim, allerdings hätte ich dabei lieber meine Turnschuhe anbehalten. Je schwerer der Körper, desto leichter wird der Geist.«

Von dem Tag an legten wir viele Pausen ein, um in den Tekkes zu tanzen, die Monsieur Ibrahim kannte. Manchmal drehte er sich nicht, sondern begnügte sich damit, Tee zu trinken und die Augen zusammenzukneifen. Ich aber drehte mich wie ein Verrückter. Nein, in Wirklichkeit drehte ich mich, um weniger verrückt zu sein.

Abends, auf den Dorfplätzen, versuchte ich mit den Mädchen ins Gespräch zu kommen. Ich gab mir alle erdenkliche Mühe, aber es lief nicht sehr gut, während Monsieur Ibrahim, der nichts anderes tat, als mit sanfter und ruhiger Miene lächelnd seinen Anisschnaps zu schlürfen, nach einer Stunde immer eine Menge Leute um sich herum hatte.

»Du bewegst dich zuviel, Momo. Wenn du Freunde haben willst, dann sei nicht so zapplig.«

»Monsieur Ibrahim, finden Sie mich eigentlich schön?«

»Du bist sehr schön, Momo.«

»Nein, so habe ich das nicht gemeint. Glauben Sie, daß ich mal schön genug sein werde, um den Mädchen zu gefallen..., ohne zu bezahlen?«

»In ein paar Jahren werden sie für dich zahlen!«

»Aber... im Moment... ist der Markt eher ruhig...«

»Natürlich, Momo. Merkst du denn nicht, was du machst? Du starrst sie mit Augen an, die sagen: Seht ihr nicht, wie schön ich bin? Also machen sie sich lustig über dich. Du mußt sie mit Augen anschauen, die sagen: Eine Schönere als Sie habe ich noch nie gesehen! Für einen normalen Mann, ich meine einen Mann wie dich und mich – nicht einen Alain Delon oder Marlon Brando –, ist die eigene Schönheit einzig die, die er in der Frau erkennt.«

Wir schauten zu, wie sich die Sonne zwischen den Bergen verlor und der Himmel sich lila färbte. Papa schaute hoch zum Abendstern.

»Für jeden von uns, Momo, ist eine Leiter aufgestellt, damit wir entfliehen können. Der Mensch war zuerst etwas Mineralisches, dann etwas Pflanzliches, dann etwas Tierisches – das Tiersein kann er nicht vergessen, und allzuoft verspürt er den Drang, sich wieder in ein Tier zu verwandeln –, erst dann ist er zum Menschen geworden, mit der Anlage zum Wissen, zur Vernunft, zum Glauben. Kannst du dir den Weg vorstellen, den du vom Staubkorn bis zum heutigen Tag zurückgelegt hast? Und später, wenn du dein Menschsein verlassen hast, wirst du zu einem Engel. Dann hast du mit der Erde nichts mehr zu tun. Wenn du tanzt, bekommst du eine Ahnung davon.«

»Naja. Davon weiß ich jedenfalls nichts mehr. Können Sie sich denn noch daran erinnern, Monsieur Ibrahim, daß Sie mal eine Pflanze waren?«

»Was glaubst du, tue ich, wenn ich stundenlang im Laden, ohne mich zu bewegen, auf meinem Stühlchen hocke?«

Dann kam der berühmte Tag, an dem Monsieur Ibrahim zu mir sagte, daß wir sein Geburtsmeer erreichen und seinen Freund Abdullah treffen würden. Er war ganz aufgeregt, wie ein junger Mann, er wollte zuerst allein hinfahren, um sich umzusehen, er bat mich, unter einem Olivenbaum auf ihn zu warten.

Es war die Zeit der Siesta. Ich schlief an den Baum gelehnt ein.

Als ich wieder erwachte, war es bereits dunkel. Bis Mitternacht wartete ich auf Monsieur Ibrahim.

Ich ging zu Fuß ins nächste Dorf. Wie

ich dort auf dem Dorfplatz ankam, stürz/
ten Leute auf mich zu. Ich verstand ihre
Sprache nicht, aber sie redeten ganz hek/
tisch auf mich ein, sie schienen mich be/
stens zu kennen. Sie brachten mich in ein
großes Haus. Dort durchquerte ich einen
riesigen Raum, in dem mehrere Frauen
hockten und klagten. Dann führte man
mich zu Monsieur Ibrahim.

Er lag da, übersät von vielen Wunden,
Flecken, Blut. Der Wagen war gegen eine
Mauer gefahren.

Er sah ganz schwach aus.

Ich warf mich über ihn. Er machte die
Augen auf und lächelte.

»Momo, hier ist die Reise zu Ende.«

»Aber nein, noch sind wir nicht an Ih/
rem Geburtsmeer angekommen.«

»Doch, ich bin angekommen. Alle
Arme des einen Flusses münden im glei/
chen Meer. Im einzigen Meer.«

Und gegen meinen Willen fing ich an zu weinen.

»Momo, ich bin nicht zufrieden.«

»Ich habe Angst um Sie, Monsieur Ibrahim.«

»Ich habe keine Angst, Momo. Ich weiß, was in meinem Koran steht.«

Diesen Satz hätte er nicht sagen sollen, denn der weckte schöne Erinnerungen in mir und ich habe noch mehr geheult.

»Momo, du weinst um dich, nicht um mich. Ich habe ein gutes Leben gehabt. Ich habe ein schönes Alter erreicht. Ich habe eine Frau gehabt, die vor vielen Jah⁄ren gestorben ist, die ich aber noch immer liebe. Ich habe meinen Freund Abdullah gehabt, den du von mir grüßen mußt. Mein kleiner Laden ist gut gelaufen. Die Rue Bleue ist eine hübsche Straße, auch wenn sie nicht blau ist. Und außerdem hatte ich dich.«

Um ihm eine Freude zu machen, unter-
drückte ich all meine Tränen, ich gab mir
Mühe, und zack: Lächeln!

Er war zufrieden. Es war, als würde er
weniger leiden.

Zack: Lächeln!

Langsam schloß er die Augen.

»Monsieur Ibrahim!«

»Psst ..., mach dir keine Sorgen. Ich
sterbe nicht, Momo. Ich gehe nur ein in
die Unendlichkeit.«

Das war es.

Ich bin noch eine Weile geblieben. Abdullah, sein Freund, und ich, wir haben
viel über Papa geredet. Und wir haben
uns auch viel gedreht.

Monsieur Abdullah war ein bißchen
wie Monsieur Ibrahim, ein sehr ver-
schrumpelter Monsieur Ibrahim, der viele
seltene Worte wußte, Gedichte auswendig

konnte, ein Monsieur Ibrahim, der mehr Zeit mit Lesen verbracht hatte als damit, seine Kasse klingeln zu lassen. Die Stunden, die wir uns in der Tekke drehten, die nannte er den Tanz der Alchimie, den Tanz, der Kupfer in Gold verwandelt. Oft zitierte er Rumi.

Er sagte:

Gold braucht keinen Stein des Weisen, aber das Kupfer, ja.

Veredele dich.

Was lebt, laß sterben: Es ist dein Körper.

Was tot ist, erwecke: Es ist dein Herz.

Was anwesend ist, verstecke: Es ist das Diesseits.

Was abwesend ist, laß kommen: Es ist das Jenseits.

Was existiert, vernichte: Es ist die Begierde.

Was nicht existiert, erzeuge: Es ist das Sehnen.

Noch heute, wenn es mir nicht gut geht, drehe ich mich.

Ich drehe mich mit einer Hand nach oben zum Himmel, und drehe. Ich drehe mich mit einer Hand runter zur Erde, und drehe. Der Himmel dreht sich über mir. Die Erde dreht sich unter mir. Ich bin nicht mehr ich, sondern eines dieser Atome, die sich um die Leere herum drehen, die alles ist.

Wie Monsieur Ibrahim sagte:

»Deine Intelligenz steckt in deinem Knöchel, und dein Knöchel kann sehr tief denken.«

Ich bin per Anhalter zurück. Ich habe mich, wie Monsieur Ibrahim von den Clochards sagte, »Gott anvertraut«: Ich habe gebettelt, und ich habe im Freien geschlafen, und auch das war ein schönes Geschenk. Ich wollte die Scheine nicht ausgeben, die mir Monsieur Abdullah, kurz bevor ich ging, beim Abschiedskuß in die Tasche gesteckt hatte.

Zurück in Paris stellte ich fest, daß Monsieur Ibrahim bereits alle Vorkeh-

rungen getroffen hatte. Er hatte mich für
mündig erklären lassen: Ich war also frei.
Und ich erbte sein Geld, seinen Laden
und seinen Koran.

Der Notar übergab mir den grauen
Umschlag, aus dem ich vorsichtig das alte
Buch herausholte. Endlich würde ich wis-
sen, was in seinem Koran stand.

In seinem Koran waren zwei getrock-
nete Blumen und ein Brief von seinem
Freund Abdullah.

Jetzt bin ich Momo, alle in der Straße
kennen mich. Und ich mache nun doch
nicht in Import-Export, das hatte ich
Monsieur Ibrahim bloß gesagt, um ihn zu
beeindrucken.

Ab und zu kommt meine Mutter vorbei. Um mich nicht zu ärgern, nennt sie
mich Mohammed und erkundigt sich, ob
ich was Neues von Moses wüßte. Und
dann berichte ich ihr.

Neulich habe ich ihr erzählt, daß Moses seinen Bruder Popol wiedergefunden hätte, daß beide zusammen eine Reise machten und daß man sie meiner Meinung nach so bald nicht wiedersehen würde. Vielleicht wäre es besser, nicht mehr über das Thema zu reden. Sie dachte lange nach – bei mir ist sie ja immer auf der Hut –, dann murmelte sie verständnisvoll:

»Eigentlich ist es auch besser so. Es gibt Kindheiten, von denen man sich trennen, Kindheiten, von denen man sich erholen muß.«

Ich habe ihr gesagt, Psychologie sei nicht mein Fach: Ich handle mit Kolonialwaren.

»Ich würde dich gern mal zum Abendessen einladen, Mohammed. Auch mein Mann würde dich gerne kennenlernen.«

»Was macht er?«

»Er unterrichtet Englisch.«

»Und Sie?«

»Ich unterrichte Spanisch.«

»Und in welcher Sprache werden wir dann beim Essen reden? Nein, das war nur ein Witz, ich bin einverstanden.«

Sie errötete vor Zufriedenheit, daß ich zugesagt hatte, ja, wirklich, es war eine Freude, das mitanzusehen: Man hätte meinen können, ich hätt' ihr gerade fließend Wasser gelegt.

»Also, abgemacht? Du kommst?«

»Jaja.«

Klar, es ist schon ein bißchen merkwürdig, zwei Lehrer des Nationalen Erziehungswesens laden Mohammed, den Kolonialwarenhändler, zu sich nach Hause ein, aber im Grunde, warum eigentlich nicht? Ich bin kein Rassist.

Nun ja, jetzt... ist das zu einer Gewohn-
heit geworden. Jeden Montag bin ich mit
meiner Frau und meinen Kindern bei
ihnen. Da meine Kleinen sehr lieb sind,
sagen sie Oma zu ihr, wie das die Spa-
nischlehrerin freut, das muß man gesehen
haben! Manchmal ist sie vor Glück so aus
dem Häuschen, daß sie mich diskret fragt,
ob es mir nicht peinlich ist. Nein, ant-
worte ich ihr, ich habe Sinn für Humor.

Nun ja, jetzt bin ich Momo, der mit
dem Laden in der Rue Bleue, in der Rue
Bleue, die nicht blau ist.

Für alle Welt bin ich der Araber an
der Ecke.

Araber, was in unserer Branche bedeutet, nachts und auch am Sonntag geöffnet.

Franco Ferrucci
Die Schöpfung
Das Leben Gottes von ihm selbst erzählt
Aus dem Italienischen
von Herbert Schlüter und Stefan Richter

Band 15138

»Für lange Zeit vergesse ich, daß ich Gott bin.« So beginnt
eine der ungewöhnlichsten Autobiographien, in der niemand anders als Gott persönlich die Geschichte der Erde
und die des Menschen in der Welt erzählt. Ein Gott, der
weder allmächtig, noch allwissend, noch unfehlbar ist. Diese
Autobiographie Gottes ist eines jener Bücher, das zweitau-
send Jahre abendländischer Kultur auf unübertroffene
Weise neu erzählt, voll wundersamer Einfälle, mit Witz
und Ironie. Gott schrieb seine Memoiren und Franco
Ferrucci führte ihm die Feder.

Fischer Taschenbuch Verlag

fi 15138 / 1

Andrea Camilleri
Der unschickliche Antrag
Roman
Aus dem Italienischen von Moshe Kahn

Band 15053

Wie der simple Antrag auf ein Telefon im Jahr 1891 in Sizilien zum Auslöser für zahllose Wirren, Intrigen, Morde und Liebesdramen wird, so daß am Ende halb Sizilien in den Fall verwickelt ist, davon erzählt dieser höchst komische Roman von Andrea Camilleri, dem Erfolgsautor aus Italien.

»Die dringende Empfehlung, Camilleri zu lesen, ist alles andere als ein unschicklicher Antrag.«
Die Welt

»Camilleri ist geistreich, weise und absolut unterhaltsam.«
Aspekte, ZDF

Fischer Taschenbuch Verlag

fi 15053 / 1

Andrea Camilleri
Die Mühlen des Herrn
Roman
Aus dem Italienischen von Moshe Kahn

Band 15125

In Camilleris berühmt-berüchtigtem Sizilien soll ein neuer
Inspekteur aus Rom die fiskalischen Einnahmen aus den
Mühlenbetrieben kontrollieren. Die Suche nach den Draht-
ziehern einer umfassenden Steuerhinterziehung erweist
sich als hochexplosiv. Ein gerissener Mafiosi, ein eifriger
Inspekteur, ein gieriger Pfarrer und eine schöne Witwe:
ein jeder will etwas anderes. Doch alle verwickeln sich in
einem Netz aus Korruption, mafiosen Intrigen, Sprach-
und Liebesverwirrungen.

»Spannend und zwerchfellerschütternd komisch.«

»Andrea Camilleri – ›Italiens neuestes Erzählwunder –
ein großer Fabulierer und begnadeter Erzähler
vor dem Herrn‹.«
Focus

Fischer Taschenbuch Verlag

fi 15125 / 1

Andrea Camilleri
Der vertauschte Sohn
Roman
Aus dem Italienischen von Moshe Kahn
Band 15720

Camilleris Sizilien ist auch die Heimat eines der bedeutendsten italienischen Autoren des 20. Jahrhunderts: Luigi Pirandello, der große Theaterautor und Erzähler. Wie ein Glüh-
würmchen will Pirandello 1867 vom Himmel gefallen oder
aber als Säugling von Hexen vertauscht worden sein. Der
große Schriftsteller sah sich gerne als vertauschten Sohn.
Andrea Camilleri erzählt eine ergreifende sizilianische Fa-
miliengeschichte und ein außerordentliches Leben, das
zwischen Phantastischem und Realem oszilliert. Und es
versteht sich von selbst, nur ein Sizilianer vom Schlag
Camilleris kann auf diese Weise erzählen: komisch, detail-
reich, in prallen kleinen Szenen, manchmal märchenhaft
und unheimlich oder derb realistisch.

»Camilleri, der Mann aus Agrigent
ist ein Chronist dieser Welt:
geistreich, weise und absolut unterhaltsam.
Ein Könner.«
aspekte

Fischer Taschenbuch Verlag

Margaret Forster
Schattenkinder
Roman
Aus dem Englischen
von Roseli und Saskia Bontjes van Beek
Band 15447

Zwei Töchter auf der Suche nach ihren leiblichen Müttern
– zwei Mütter, die nicht gefunden werden wollen, weil sie
die eigene Vergangenheit ruhen lassen möchten. Denn sie
fürchten nichts so sehr wie die Rache ihrer verleugneten
Töchter. Vier Lebensgeschichten, vier Schicksale – Margaret
Forster hat daraus einen spannenden, vielschichtigen Roman gemacht, der ein ganzes Jahrhundert umspannt.

»Forster at her finest.«
The Literary Review

»Margaret Forster schreibt Romane,
die unter die Haut gehen.«
Norddeutscher Rundfunk

„Ein so intelligenter unterhaltender
Schicksals- und Frauenroman.“
Ellen Pomikalko

Fischer Taschenbuch Verlag

Sommerkinder
Geschichten aus den großen Ferien
Herausgegeben von Ingrid-Maria Gelhausen
Originalausgabe
Band 15042

In diesem »klassisch« und ein wenig nostalgisch komponierten Lesebuch erzählen bedeutende Autoren des 20. Jahrhunderts von unvergesslichen Sommererlebnissen der Kindheit. Mit dabei sind: Marcel Proust, Natalie Sarraute, Marcel Pagnol, Thomas Mann, Fabrizia Ramondino, Albert Camus, Vladimir Nabokov, Virginia Woolf, Ingmar Bergman, Marlen Haushofer, Marie Luise Kaschnitz, Erich Kästner, Alice Herdan-Zuckmayer, Walter Benjamin und viele andere.

»Die Kapitel der Sommerkinder liest man wie Blätter
in einem alten Poesiealbum.«
Hanns-Josef Ortheil

»Eine Sammlung wunderbar nostalgischer
Kindheitserinnerungen und -erzählungen
berühmter Autoren.«
Die Welt

»Diese Geschichten lassen uns
in eigenen Erinnerungen schwelgen.«
Westdeutscher Rundfunk

Fischer Taschenbuch Verlag

Gabriel García Márquez
Die Liebe in den Zeiten der Cholera
Roman
Aus dem Spanischen von Dagmar Ploetz
Band 16251

51 Jahre, 9 Monate und 4 Tage wartet Florentino Ariza auf
Fermina Daza. Schon als 18jähriger hat er sich unsterblich
in sie verliebt, in ihren stolzen Gang und den schweren Zopf
auf ihrem Rücken. In poetischen Briefen hat er um sie ge-
worben, für kurze Zeit ihre Aufmerksamkeit gewonnen,
und sie dann an Doktor Juvenal Urbino verloren. Doch nie
hat er aufgehört sie zu lieben. Die schönste Liebesgeschichte
der Welt.

Gabriel García Márquez singt der Liebe
»sein Hoheslied in schier unendlicher Melodie
bis zum Happy-End«.
Der Spiegel

Fischer Taschenbuch Verlag

Gabriel García Márquez
Von der Liebe und anderen Dämonen
Roman
Aus dem Spanischen von Dagmar Ploetz

Band 16252

Sierva María, die zwölfjährige Tochter des Marqués de Casalduero, wird von einem tollwütigen Hund gebissen. Obwohl sie keinerlei Symptome der grauenhaften Krankheit aufweist, unterwirft ihr Vater sie den Prozeduren der Heil- und Hexenkünste, die im ausgehenden 18. Jahrhundert in Cartagena, der Stadt der spanischen Vizekönige, zur Anwendung kamen. Der Bischof veranlaßt sogar eine Teufelsaustreibung. Doch Pater Cayetano Delaure, ihr Exorzist, verliebt sich in das schöne Mädchen. Ihre Leidenschaft wird beiden zum Verhängnis.

»Ein neuer Höhepunkt im Schaffen
des großen Gabriel García Márquez.«
Die Welt

Fischer Taschenbuch Verlag

Gabriel García Márquez
Chronik eines angekündigten Todes
Roman
Aus dem Spanischen von Curt Meyer-Clason

Band 16253

Mit einem rauschenden Fest feiert ein ganzes Dorf Hochzeit. Doch noch in der Nacht schickt der Bräutigam die Braut zurück ins Elternhaus. Sie war nicht mehr unberührt. Um die befleckte Ehre ihrer Schwester wieder herzustellen, ziehen ihre Brüder los, mit geschliffenen Messern. Der mutmaßliche »Täter« muß sterben.

»Der geradlinige Verlauf verleiht dem Roman einen derartigen drive, daß kein Umstand, kein Wort überflüssig wirkt. Jedes Detail steht mit einer solchen Notwendigkeit an seinem Platz, daß ich nur ein Wort finde, diesen Roman zu kennzeichnen: ›klassisch‹ – die Chronik eines angekündigten Todes erscheint mir eine klassische Erzählung der Weltliteratur.«
Dieter E. Zimmer, Die Zeit

Fischer Taschenbuch Verlag

Javier Salinas

Die Kinder der Massai
Roman
Aus dem Spanischen von Stephanie von Harrach
2004. 140 Seiten. Geb.
MERIDIANE 67
ISBN 3-250-60067-9

Spätestens seit dem Tag, als Frau Matutes, die Sportlehrerin mit dem untrüglichen Gespür für auseinandergebröckelte Familien, Juan eines Tages in die andere Volleyballmannschaft steckt, weiß er Bescheid: Seine Eltern werden sich trennen. Diesmal steht es fest, diesmal werden sie sich wirklich trennen.

Aber in der anderen Volleyballmannschaft zu spielen ist eine Sache, immer verlieren zu müssen eine völlig andere. Bei den Massai zum Beispiel würde es eine solche Mannschaftseinteilung gar nicht geben, denn die Kinder der Massai haben keine eigenen Väter, da gehören die Kinder dem ganzen Dorf. Und ob man nun also einen Vater hat, viele oder gar keinen, was bedeutet das schon? Hauptsache man ist glücklich und zählt sich nicht automatisch zu den ewigen Verlieren, sondern glaubt daran, daß man auch gewinnen kann. Eben genau wie die Kinder der Massai.

Javier Salinas erzählt eine Geschichte, die Mut macht, das übliche Familienmodell einmal anders zu denken, und zeigt, daß ein abwesender Vater nicht automatisch das Ende der Welt bedeutet.

Ammann Verlag
www.ammann.ch